KB177992

초 록 , 노 랑 .

초록, 노랑.

발　행 | 2024년 7월 29일
저　자 | 강이안
펴낸이 | 한건희
펴낸곳 | 주식회사 부크크
출판사등록 | 2014.07.15.(제2014-16호)
주　소 | 서울특별시 금천구 가산디지털1로 119 SK트윈타워 A동 305호
전　화 | 1670-8316
이메일 | info@bookk.co.kr

ISBN | 979-11-410-9782-0

www.bookk.co.kr
ⓒ 강이안
본 책은 저작자의 지적 재산으로서 무단 전재와 복제를 금합니다.

초록,

노랑.

강이안 지음

제 1부

제가 한창 힘들고, 지쳐있던 당시,

저를 위로했던 것은, 다름이 아닌

'시' 였습니다.

초록,노랑./미소/빛줄기/머리끈/불행화花/사진/붕대/한강/돌멩이/무지개/손/바람/꽃잎/사랑이란/시비/거리/도시화/풍애/옛잎/시험/도서관/불꽃/모기/목련/학교/밤이/추위/테트리스

제 2부

이 글을 읽고 계신

당신들의 마음을 묻고싶습니다.

달/하나둘,/촛불/카페/잠/봉숭아꽃/나에게 시란/붉은 줄/다섯살 사진첩/구제불능/이파리 옷장/여름우산/좋다니까/유치/형광펜/옛집/젊음/너에게로 가는 길/민들레 씨앗/달콤한 아침/빗자루/꿈/산책/모순적 아침/내가 사랑하는 이들에게/구멍/

번외편 시를 쓰는 나를 보고 따라 쓴 동생의 시.

민들레

이 시를 읽는 이들에게,

안녕하세요 '초록, 노랑.'이라는 시집을 출간하게 된 시인 강이안입니다. '작가의 말'이라는 식상한 말로 여러분들께 다가가고 싶지 않았습니다. 이 책을 읽기 전 처음으로 마주하는 저일 테니, 작가가 아닌 강이안으로, 강이안이라는 사람으로서 전하는 편지와 비슷한 말로 여러분들께 다가가고 싶었습니다. 제가 시를 쓰게 된 이유는 다름 아닌 사춘기 때 찾아온 '사랑의 아픔' 때문이었습니다. 아직 '사랑'이라는 단어를 정의하고 단정 짓기에는 아직 실질적 나이도, 정신적인 나이도 어리다는 거 너무나도 잘 알지만, 이 어린 시절, 사랑이라는 것을 모르는 시절의 아픔을 '시'라는 매개체로 여러분들께 사랑과 아픔, 사춘기 때의 방황, 우울과 기쁨을 담아 전달하고 싶었습니다. 처음 시를 쓰게 된 나이는 중2병이라 불리는 중학교 2학년 겨울이었습니다. 15살밖에 먹지 않은 어린 나이였지만, 어떤 한 남자를 너무나도 뜨겁게 좋아하고, 또 차갑게 아팠기에 누구의 위로도 통하지 않았던 그런 날 쓰게 된 것이 다름 아닌 '시'였습니다. 이날 학교에서, 그것도 수업 시간에 아무것도 하고 싶지 않고, 수업을 듣고 싶던 의욕조차 없어, 교과서 끝자락에 시를 끄적이기 시작했습니다. 그때 쓴 시가 제1부에 수록된 '바람'이라는 시입니다. 그 이후 '시'라는 약으로 시를 쓰고 먹으며 점차 행복을 되찾기 시작했습니다. 이 덕분에 지금까지도 슬플 때나, 행복할 때, 아니면 아무 생각이 들지 않을 때도 시를 쓰고 있는 거 같습니다. 시를 전문적으로 배워본 적은 없으나, 형식이 자유롭고, 누구나 편하게 쓰고 읽는 것이 저에게는 다시 한번 위로로 다가온 것도 같습니다.

저는 묻고 싶습니다. 당신의 마음은 어떠한가요. 위로가 필요하신다면 위로를 드리겠습니다. 행복이 필요하시다면 행복을 드리겠습니다.
제 시집이 여러분들의 마음을 치유하는
'약'으로 다가왔으면 좋겠습니다.
감사합니다.

제 1부

제가 한창 힘들고,

지쳐있던 당시,

저를 위로했던 것은,

다름이 아닌

시 였습니다.

초록, 노랑.

아직 뜨겁지 않은 초여름이라
작은 선풍기 하나,
작은 창문 하나 열어놓았던 새벽이었다

오전에 달콤한 햇살에 녹아들었던
사탕 같은 단잠 때문인지
지금까지 눈이 반짝인다

작은 창문 밖
조금 상처가 나있었던 방충망 사이로
초록, 노랑 불빛이 들어왔다

뭔가 하고 보니
작고도 소중한 반딧불이였다

초록은 내 음악으로
노랑은 내 불빛으로

반딧불이를 벗 삼아
같이 글을 쓰고 있다.

미소

저 창문에 비치는 너의 얼굴이
꼭 해바라기 같구나

저 거울 속에 비치는 너의 얼굴이
꼭 개나리 같구나

너의 입가 주변에는
활짝
꽃들의 축제가 열렸구나

그 꽃들 나에게도 나눠주겠니
나도 그 꽃들의 축제를 느껴보고 싶구나

빛줄기

하나 둘 저 푸른 이파리가
떨어져 나갈 때

나의 허물도 하나 둘
벗겨져나간다

파랗던 세상이 붉게 저물어 갈 때
내 마음도 붉게 그을려진다

파란색의 차가웠던 내 심장 색은
저 뜨거운 빛줄기 하나로
붉게 뜨거워진 심장이 되어간다

머리끈

네게 빌려왔던 머리끈
몇 날 며칠이 지나도
잃어버리지 않고 내 손목에 살고 있다

천방지축 너에게 달려가려는
이 머리카락들을
머리끈이 안아주고 있다

바닥에 뒹구는 다른 머리끈
내 손목 머리끈과는 다른….

너의 생각, 감정, 체온 너의 존재를 묶고 있는

네게 빌려왔던 머리끈

그 머리끈은 시간이 흘러 늙고 해졌지만,

너에게 닿고 싶은 내 마음은

그 머리끈에 묶여 더 단단해졌음을.

불행화花

하루하루가 넌 흙 같을 때
나의 하루하루는 꽃 같음을,

그때의 넌 웃었고
그때의 난 울었지만,

지금의 난 꽃을 피웠음을

넌 지금 어떠한가

넌 평생 행복했음을
넌 평생 불행했음을

그 불행을 꽃피우길
내 몸 바쳐 기도하리

사진

내 사진첩의 그이
웃음이 만개하였구나.

내 머릿속 그이
아무것도 보이지 아니하네.

어두컴컴한 마음속
그이의 눈물만이 반짝이네.

울지 마라. 내 마음 속 그이처럼.

붕대

붕대는 아픈 곳을 압박해 주는 도구이다.

아픈 곳이라 하면,

불타는 고통의 내 심장은 안될까
너를 떠올리는 내 머리는 안될까
너에게 찾아가려는 내 발걸음은 안될까

자꾸 약해지는 내 마음은 안될까.

압박하라 붕대여.

한강

우리나라 중심에는
흐르는 강하나가 있다.

내 마음 가운데에도
흐르는 강하나 있는데,

그것은 고요한 강물이다.

저 흐르는 물이 나의 눈물이었음을.

돌멩이

돌멩이가 굴러간다

저 언덕에서
누구 하나 잡아주지 않는
저 언덕에서.

데구루루 데굴
또르르 또르르

그 돌멩이 풍덩 강에 빠져버렸는데

그 돌멩이 차갑고 매서운 물살을
사랑하게 되었다.

그 돌멩이 물과 함께 오늘도 사랑한다.

단풍나무

저 홀로 서 있는 단풍나무
강인해 보여라.

저 홀로 서 있는 단풍나무
비에 젖으니 파래 보여라.

누군가 저 나무를 따뜻하게 안아준다면,
다시 붉어지려나.

그래도 저 단풍나무의 의젓함은 변함없으리.

무지개

빗방울이 내려와
내 마음에 떨어지는 날엔,

저 빗방울 무지개를 품고 있어라.

그 빗방울이 흘러
내 품으로 들어오는 날엔

내 마음속에도 무지개가 뜨길.

손

벚꽃이 달콤한 봄비처럼 내리는
4월,

오늘도 그들 하늘과 손잡는다.

어제도 하늘 좋아 그들 손잡는데,
내일까지도 잡아버림 남은손이 있을런지.

욕심이 장마 같구나 하늘이여.

바람

불어오는 저 바람
꼭 그이 같구나.

바람처럼 다가와,
내 마음에 파도를 치고 떠나간
그이 말이다.

잔잔했던 나의 바다는 폭풍우가 몰아쳐,
내 안을 차갑게 뒤덮는다.

싸늘해진 내 마음은
저 반짝이는 눈물을 쏟아낸다.

꽃잎

그 하나의 꽃잎이 떨어져
바닥에 닿을 때,
내 마음도 저 나무의 꽃잎이 되었다.

작고, 여리며, 부드러웠던 저 꽃잎은
누군가에 밀려 쓰러지기도 하고,
누군가에 의해 말려지기도 한다.

하지만, 어느 누군가에게 살려지기라도 하는 날엔,
그 꽃은 만개할지어다.

하지만, 떨어진 꽃잎,
일어나지 못함은 변함없으리.

사랑이란

사랑이란

참 여린 꽃잎 같다
휙 불어오는 바람에 날아갈지도
다시 나에게 돌아올지도

사랑이란

든든한 나뭇가지 같다
내가 살아갈 수 있게 해주는 버팀목일 수도
외나무다리에서 나온 가시일 수도

사랑이란 이런 것이다

시비

난 저 초가집 앞을 단단히 막아주는
저 시비가 부럽다

난 저 초가집 앞을 든든히 지켜주는
저 시비가 부럽다

언제쯤 단단한 시비가 나에게 지어질까
언제쯤 사랑스러운 시비가 나에게 지어질까

언제쯤 이 허약했던 시비가 사라지고
든든한 시비가 나에게 지어질까

거리

아무도 없는 이 거리가 참 아름답다

저 켜져 있는 파란 가로등도
저 바닥에 나뒹구는 낙엽까지도

아무도 없는 이 거리가 참 쓸쓸해 보인다

다 밟히고 까져버린 바닥과
눈길 하나 받지 못한 저 나무가

내가 갈게 이 거리야

쓸쓸하지 않도록
옆에서 내가 빌어주마

도시화

난 도심 속 우물을 찾고 있다

누군가가 웃고 떠들고,
울고 위로해 주는 그런 따뜻한 곳 말이다

난 도로에서 하찮은 잔디를 찾고 있다

따스히 햇살을 받으며
편히 쉴 수 있는 그런 시원한 곳 말이다

회색 말고 초록,
흑색 말고 파란.

풍애風愛

저 조용했던 바람이
왜 갑자기
나에게로 불어오는 것인가

저 조용했던 바람이
왜 새가슴 놀래게
나에게 바람을 맞추는 것인가

저 조용했던 바람은
나무 위 새소리처럼

나를 홀린다

옛잎

새 화분에서 처음으로 맞이 한 여름,
옛정든 이파리들 떠나보내고
샛정으로 살아가야 되는 새 이파리들이 푸르네

옛정든 이파리는 보이지 않는
저 바닥에 있는 거 같은데

아이참 보이지 않네 보고 싶은데 말이야

언젠가 나도 떨어지는 날이 오겠지
그동안 너도 나도 샛이파리들과 잘 지내보자

조금만 기다려 너무 보고 싶네

시험

시험을 망쳤어
괜찮아 괜찮아
하고

또 다음 시험을 준비한다

에잇, 또 망쳤네
너를 공부하다 시험을 망쳤네

너라는 시험 있으면
백 점 맞을 수 있는데
일등급 맞을 수 있는데

너라는 전형으로
서울대도 갈 수 있는데

아이참 모르겠다
다음 시험도 망치게 생겼다

도서관

나는 똑똑하다

그리고
옛날이야기, 미래 이야기, 또 요리방법,
고치는 방법, 수학까지도 다 알고 있다

음 근데 말이야
모르는 게 딱 하나 있어

너라는 사람
너라는 마음

알고 싶어, 너

불꽃

중학교 2학년,
한창 열정적이고도 쉽게 꺼지지 않던
나의 여린 불꽃

바람 훽 불면 쓰러질까,
여름 태풍에 날아갈까
하며

작은 열쇠고리를 만들어
꽁꽁 숨겨둔 나의 여린 불꽃

너를 만나 훅 꺼져버린
나의 여린 불꽃

모기

간지럽네
모기가 앉아 내 피를 가져간 곳이

아프네
그 후 내가 긁은 곳이

쓰리네
모기처럼 나의 피를 쏟게 만든
너와 함께한 추억이

목련

저 하야디 하얀 목련은
꽃을 피웠는가

저 하야디 하얀 목련은
자기 자신을 찾았는가

점점 검게 물들어가는 저 목련은
어디가 아픈 것인가

아아 내 마음과 같네
저 하야디 하야지 않는 나의 마음속을 피우는
내 목련이여

학교

아이참
오늘 참 학교가 가기 싫다

좋은 친구
좋은 선생
좋은 사랑

좋은 거 다 있는데
왜가기 싫을까

아 학교니까.

밤이

죽도록 역겹다
네가 생각나는 이 시간이

숨이 막혀오듯 온몸이 저릿하다
너 없이 보내는 이날들이

이러다 저 높은 곳으로 가는 것이 아닐까

죽도록 역겹다
네가 보고 싶은 이 밤이

추위

추운 바람이 쌩쌩 불때면

바라만 봐도 따뜻했던
그의 얼굴 보고싶구나

너가 없는 겨울이 찾아와
나를 쓸쓸하게 할때면

봄빛같던 너의 따뜻한 품속으로
한번만 파고들고싶구나

너는 내가 없는 겨울이 시립지않니
나는 너무 시렵구나

테트리스

클릭,

하고 내려온 테트리스

또 클릭,

하고 내린 테트리스는 자리가 없어

맞춰지지않았다

꼭 잘못 맞춰진 퍼즐처럼.

왜 그것을 보고 나는 마음이 아팠을까

이세상에 맞춰지지않은 나를 보는듯한느낌,

너랑내가 맞춰지지않은 느낌.

제 2부

이 글을 읽고 계신
당신들의 마음을

묻고싶습니다.

달

어느 여름밤
잠이 너무 오지않아

집 밖 파라솔에 작은 담요를 들고 앉아
하늘을 바라보았다

저 높은 하늘에는
누가 한입 베어먹은 듯 한 초승달이
내 머리위에 떠있었다

밤인데도 그 달에서 나오는 빛 덕분인지
쌀쌀하지도 차갑지도 않은
따스하고 포근한 기분이 들었다

문득 그 달이 궁금했다

그래서 물었다

혹시 달아 너의 이름이 뭐니?

초승달이 아닌 하현망간의달이었고,

누가 베어먹은게 아닌,
지금 따스한 햇빛을 받으며
배가 채워지고있는 중이라 한다.

혹시 달아 너는 외롭지않니?

달은 수많은 별과 인간이 쏘아올린 작은 인공위성, 그리고 우리를 지켜보며 외롭지않은 재밌는 삶을 살고있다 했다.

혹시 달아 너는 행복하니?

나는 이밤 너를 보고있으면 행복한데,
너가 없는 햇빛이 뜨면 눈이부셔
그 행복이 서서히 사라진단다

그래서 나는 너가 떠오르는 밤이 좋단다.

달은 서서히 저물어간다.

하나 둘,

하나 둘, 바닥에 있는 차갑던 얼음들을 녹이는
봄빛이 내려앉는다.

점차 귀여운 꽃들이 활짝 웃게되었고,
나 또한 웃는다

그러다 잠시 차갑고 시린 꽃과 같이 불어오는
추위가 올때면
그꽃들의 잔해들이 사람들의 코끝을 간지럽힌다

봄이왔다.

아름답던 봄꽃들이 저물고,

또다른 꽃들과 잎들이 태어나

찬란한 초록빛을 입은 아이들이 자라나게 되면

사람들의 옷을 하나 둘 내려놓게하는

따뜻함이 아닌 뜨거움이 우리들의 속으로

파고들게 된다

그러고는 우리는 퐁당 물과 친해지게된다

여름이 왔다.

하나, 둘 꽃잎이 떨어진다

나에게 달려있던 아름다운 이파리들이
붉은, 또는 노랑 옷을 입고 나에게서 떠나간다

그리고 내려놓았던 옷을 다시 껴입고
여름에도 타지않았던 사람들은 가을을 타게된다

가을이 왔다.

하나 둘, 입고있던 옷에서 더 많은 옷을
사람들은 껴입게되고,

잠을 자고있던 보일러를 깨운다.

여름에 열심히 일을 하던 에어컨은
잠시 잠에 들게되었고,
많은 동물과 꽃들도 잠에 들고 있다

따뜻하지만 차갑고,
매섭지만 아름다운 눈이 내려
길 곳곳에는 눈사람이 태어난다

겨울이 왔다.

촛불

외롭던 캄캄한 밤을 밝히었다
또 춥고 차갑던 나를 감싸안았다

따스한 엄마의 품, 따뜻한 수프처럼
나의 속과 밖을 따뜻하게 안아주었다

작은 자신을 태워가며….

그는 촛불이었다

카페

나는 심심할때 시간이 빌 때,
심심치않게 나는 카페를 간다

카페를 가면
난 항상 아이스 아메리카노를 한잔 시키곤 한다
가끔 배고프면 빵도 같이.

카페에 가면
난 핸드폰도 노트북도 아닌 사람들을 본다.

사람들은 너무 재밌다

사랑을 꽃피우는 사랑들,

공부를 한다는 옷을 뒤집어 쓰며
수다의 장이 펼쳐진 학생들,

노트북으로 타닥타닥 리듬을 만드는
회사원들,

아이들과, 남편의 뒷담화로
웃음꽃을 피우는 엄마들,

혼자와서 이 모든 소리를 자장가로 들으며
잠을 청하는 아저씨들,

그냥 커피하나 시켜놓고 많은 사람들을 보고
씽긋 웃는 나.

그냥 티비를 보는것과 다름이 없는것같다

아이 재밌네

잠

스르르 눈이 감긴다

너를 더 보고 싶은데
너를 내 눈에 담고 싶은데

눈꺼풀에 돌을 올려놓은 듯
자꾸만 무거워진다

내 꿈에 나타나주겠니

봉숭아꽃

내 손톱이 빨갛게 물든다

이 불그스름한 나의 손톱이
겨울까지 간다면

다시 그 아이를 만날 수 있지 않을까
라는 생각에

지나새나
손톱깎이는 거들떠보지도 않는다

내 손톱이 빨갛게 물들었다

나에게 시란

나에게 시란
찬란한 빛을 품은 마음의 쉼터다

나에게 시란
소리를 치면 파도와 함께 출렁이는 메아리다

나에게 시란
너와 함께한 시간, 그 전부이다

붉은 줄

인연이란 무엇일까

친구인연
가족인연
사랑인연

악연.

나에게는 친구인연인 줄 알았던 붉은 줄이
어렸던 난 사랑인연에게 지독히 엮여
악연으로

연결된 끊고 싶지만 다시 보고 싶은 나를
옥죄고 있는
붉은 줄.

이 시를 읽은 나의 연들은 제발
저 위 피로 물든
붉은 줄이 없기를 바라며

이 글을 쓴다

다섯 살 사진첩

한창 시원한 바람이 불던 어느 날
너저분한 책꽂이 속
나의 다섯 살 사진첩이 있었다

사진첩을 열고 나의 다섯 살을 흐뭇이 지켜보던
난,

또다시 고약하고도 역겨운 가시에 찔리고 말았다

죽이고 싶지만 사랑하는 그 가시.
끊고 싶어도 끊지 않은 붉은 선.

구제불능

손끝 발끝이 저려온다

아물지 않은 것인지
차가운 물속에 담갔다가 뺀
내 심장이 너무 따가워

속으로 타들어갈 뜨거운 눈물을 쏟아낸다

너무 사랑을 해서인지
아니면

너무 증오를 해서인지 모른..

머리가 저려온다

잘라내고 싶은 그 애로 가득 찬
나의 안쓰러운 뇌가
울부짖으며 살려달라 소리친다

고약하고도 거센 약을 발라도
지워내보려 꾸역꾸역 다른 사람을 집어넣어 봐도

구제불능이다.

이파리 옷장

초록의 길거리를 거닐고 있는데
초록들이 어딘가로 가고 있다

아이스크림 때문인지
달콤하고도 추웠고 또 따가웠던 여름이 지난 건가

하나 둘 이파리들이 옷장에서 옷을 갈아입는다

여름은행장들은
가을의 노란 유니폼으로 갈아입었고

초록의 달콤한 바람들은
하나둘 불그스름한 볼 터치를 한다

나도 슬슬 옷장에 가봐야겠다.

여름 우산

여름날 밖을 나가보면
비가 오지 않아도 우산을 쓰고 다녀.

어렸을 적 나는 곧 비가 오려나라는 생각에
부랴부랴 어머니께 전화해서
곧 비가 올 것 같다고 전하기도 하였지.

그런데 조금 커서 보니
저 태양이 장맛비처럼 빛을 쏟아내고 있기에
그래서 여름 우산을 쓰고 다닌다는 것을
알게 되었지.

그러다,

우르르 쾅쾅

갑자기 하늘에서 물 폭탄이 떨어지겠지.
내가 여름 우산도 그냥 우산도 없을 때 말이야.

좋다니까

아니 근데 나는 너가 좋다니까
따뜻한 봄같은 너가 좋다니까

찬바람의 나를 따뜻하게 잡아주는
너가 좋다니까

추운겨울 아니어도
사계절 내내 생각나는

너가 너무 좋다니까

유치

점점 흔들린다
내가 박혀있던 너의 심장에서

너는 내가 많이 불편했던 것인지
차가운 피가 흘러
너의 가슴속에 흘러들어가도

너는 나를 빼내려 한다

나는 너와 더 있고 싶은데
나는 너와 함께 살고 싶은데.

형광펜

형광펜은
중요한 부분에 칠하는
학용품이다

중요한 것이라면

너의 머리부터 발끝
너의 목소리부터 성격

다 하이라이트로 남기고 싶다

옛집

황금빛 밭을 지나
아담하고 초록빛의 산 옆에
낡아 벌레들의 보금자리가 된 정류장에서
동네 사람들끼리 "안녕하세요"라고
인사와 담소를 나누다 내려오다 보면
달콤한 향수를 뿌려 나를 휘감은 포도나무와
나를 보면 꼬리가 떨어질까 반기는
그 진돗개 앞에

작은 나의 옛집이 있다

젊음

젊음이란
아픈 곳이 없는 것 아닐까

젊음이란
행복의 웃음소리가 넘쳐나는 것이 아닐까

젊음이란
사랑을 할 수 있는 것이 아닐까

젊음이란
무엇일까.

너에게로 가는 길

투명한 유리병 속 하얀 쪽지가
넘실넘실 파도를 타고
너에게 도착했으면 좋겠어

웃음소리의 놀이공원에서 가져온 풍선이
둥실둥실 바람을 타고
너에게 날아갔으면 좋겠어

나도
넘실넘실 파도 따라
둥실둥실 바람 따라

너에게 가고 싶어

민들레 씨앗

살랑살랑 산들바람이 불면
민들레 씨앗들이 나풀나풀
춤을 춘다

귀여운 새싹의 아이들이
옹기종기 입바람을 불면

민들레 씨앗들 신이나
도시 구경하러 간다

민들레 씨앗들아,
허허벌판 나의 마음까지 와서
내 민들레가 되어주겠니

달콤한 아침

봄기운에 묻혀 일어난 달콤한 아침
창가에는 나팔꽃이 피어있었다

크고 우렁찬 나팔소리
달콤한 꽃향기 사탕

창가로부터 나를 감싸 안은
부드러운 엄마품의 햇살

이토록 달콤한 아침이 얼마 만인가

빗자루

늦가을이 지나 시린 겨울이 와서
나무 끝을 힘겹게 잡고 있던
나뭇잎들이 낙하하고

곧 따라서 나의 낙엽도 더 이상
잡을 힘이 없을 때,

네가 와서 나의 낙엽을 쓸어가주길.

꿈

빗물 따라 흐른 물줄기를
따라갔던 그곳은

물빛으로 반짝여 아름다웠다

선율 따라 홀리듯 끌려갔던
그곳은 누구 하나 죽일 듯이

황홀했다

산책

동생이랑 산책만 나가면
동생은 네잎클로버 찾기 선수

어찌나 잘 찾는지
행운으로 가득 찬다

엄마랑 산책만 나가면
잔소리 금메달 선수

어찌나 매번 똑같은 말
잘 새겨들어야지 하다가도

난 한 귀로 흘리기 선수

모순적 아침

아침에 일어나면 상큼한 바람에
내 귀를 간지럽히는 참새의 노래

하지만
내 눈을 못 뜨게 하는 피곤함은
돌덩이 천개 만개

그래도 어쩌겠어
하고 큰바위 몸을 번쩍 일으킨다

내가 사랑하는 이들에게

너의 마음에 날카로운 상처를 내는 사람들은
절대로 너의 마음에 들이지 마

너의 마음에 짐을 맡기며 돌아서는 이들은
절대로 너의 마음에 들이지 마

너의 마음은 꽃이야
한없이 소중한 거야

언젠가
너의 마음속으로
씨앗을 가지고 오는 사람이 있을 거야

그 사람을 사랑하도록 하자

구멍

누가 지나간 자리에
큰 구멍이 났다

어떻게든 메꾸려고
바느질, 약 바르기, 등등
없애려고 노력한 것이 수천 번

그런데 왜 사라지지 않는 것일까

누가 지나간 자리에
큰 구멍이 정말 아프다

번외

시를 쓰는 나를 따라서 쓴

작고 귀여운 나의 동생의

'시'

민들레

강이서

겨울이 지나

따뜻한 봄이 되어서
꽃이 피네

또 널리 널리 퍼져서

잎이 되고
꽃이 피네

나의 글들이 당신이 힘들 때,

약이 되어주길 바라며,

이 시집을 끝마침.

"자신을 사랑하는 법을 아는 것이

가장 위대한 사랑입니다".

-마이클 매서-